작곡가 엄마, 음치 아이들

저자 김태정

어릴 적에는 하고 싶은 건 뭐든 해야 직성이 풀렸었다. 대학생 때는 서태지가 했던 보라색 머리로 염색하고 원색의 옷을 입고 남의 시선은 생각하지도 않고 지냈었다. 회사는 남 일이라고 생각했는데 친구의 권유로 시립국악단에 입사하고 20년 가까이 회사 생활을 했다. 인생은 내가 계획한 대로만 진행되지는 않는다는 것을 깨닫고 '후회하지 말고 살아보자' 라고 마음먹고 퇴사를 하고 제주로 내려왔다. 40살이 넘어 매년 서류를 쓰고 면접을 보는 프리랜서로 살게 되었지만, 후회는 없다. 앞으로도 많은 도전을 할 것이고 생각만큼 성과를 이루지 못해도 후회 없을 것이다. 해봤으니 그것이면 반은 성과를 이룬 것이다. 전자책으로 부자가 되긴 어렵겠지만 창작의 고통(?)을 느껴봤고 경험해 보고 남는 창작물이 있으면 그것도 반은 남긴 것이라 여긴다. 11살 8살 남매를 둔 엄마가 된 것만으로도 나는 큰 성과를 남긴 거 아닐까? 하루하루 전쟁 같은 육아지만 육아로 인해 조금씩 성장하는 나의 모습과 매일의 추억으로 나이 들어도 남편과 할 얘기들이 남았으니 이것 또한 성공이다.

책 제목을 정할 때 고민이 많았다. "작곡가 엄마와 음치 아이들" 흔히들 음치는 노래를 못하는 사람이라고 생각하지만, 어찌 보면 음악이 정해놓은 음에만 맞지 않을 뿐 자기만의 노래에는 누구보다 열정적일지도 모른다. 난 아이들이 세상이 정해놓은 잣대에 맞지 않아도 자기 주관을 가지고 남에게 피해를 주지 않는 선에서 행복하게 살았으면 좋겠다. 그게 음치일지언정 말이다. 착하고 좋은 엄마는 아니지만, 이 책을 통해 엄마가 너희를 얼마만큼 사랑하는지 알 수 있었음 좋겠다.

사랑한다. 나의 두 천사, 그리고 내 남편.

작곡가 엄마, 음치 아이들

김태정 글/작곡

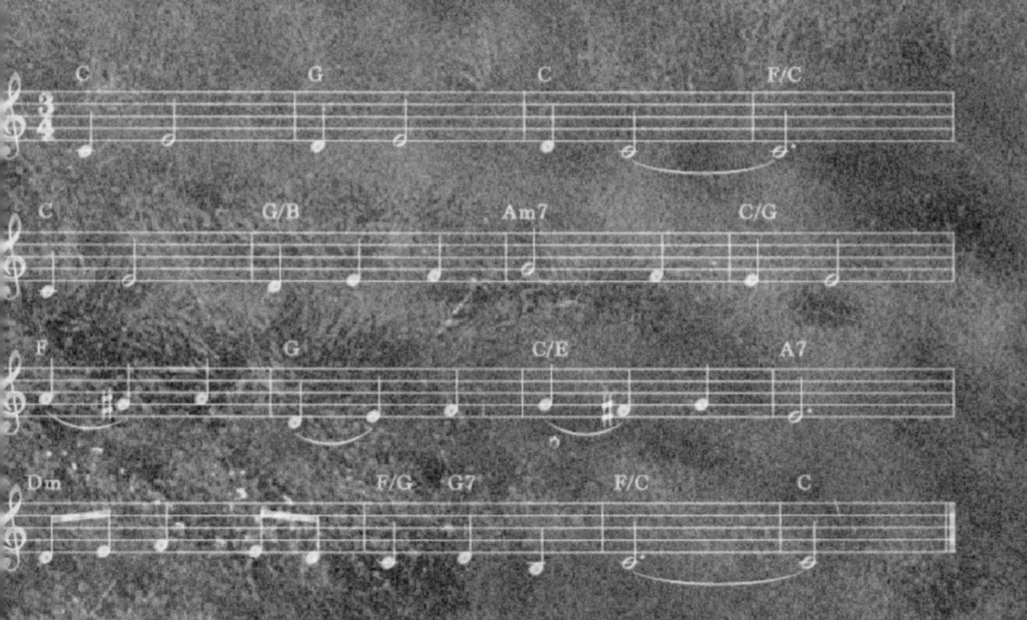

책 / 소 / 개

어린 시절의 기억은 힘들 때 꺼내먹는 비타민 같아요. 삶이 너무 지치고 외로울 때 한 번씩 먹으면 힘이 나는 그런 비타민~

비록 약효가 짱하게 나타나지 않을 수도 있지만, 그 고비는 넘길 정도의 힘을 주는 것 같아요. 나만이 기억하는 나의 어릴 적 추억들이 지금의 나를 버티게 해주는 비타민이듯 우리 아이들도 그러해지길 소망해 봐요.

작곡을 전공한 엄마로 사랑을 음악으로 표현하기 위해 이 책을 쓰기 시작했습니다. 어린 시절의 기억을 담고, 그것을 함께 부를 수 있는 동요로 만들었습니다.

이 동요는 장애아이와 비장애 아이가 함께할 수 있는 노래로 만들었습니다. 엄마의 마음을 표현한 노래, 아이와 함께한 추억에 관한 노래, 자연을 보면서 만든 노래 등 소소한 즐거움을 부드럽고 감미로운

선율로 어린 시절의 따뜻한 기억을 되새겨 주고 싶었습니다. 성장하면서 엄마와 의견이 맞지 않아서 서로에게 실망하고 화를 내기도 하겠지만 이 책을 보며 서로를 이해하는 소통의 창구가 되었으면 좋겠습니다. 이 책 안에는 저와 아이들의 소중한 순간들이 담겨 있습니다.

함께 부르고, 함께 나누며, 함께하는 이야기의 첫 여정을 이 책으로 시작하려 합니다.

서문

엄마도 엄마가 처음인지라 "초보 엄마"가 되었네. 너희를 만나 엄마가 되었지만, 여전히 초보 엄마~ 초보라는 딱지를 떼고 싶었던 적이 있었지만, 지금은 초보여서 행복하다고 말하면 이해할까?

실수를 통해 배우는 점이 있는 것처럼 시행착오를 겪고 그 과정을 통해 나중에 꺼내 볼 수 있는 추억이 생기네. 육아의 과정이 견디기 힘든 것 같지만 지나고 나면 입가에 미소가 맴도는 인생 스냅숏 같아.

2022년에 썼던 첫 육아 에세이 "엄마 글쓴이와 아들, 딸 화가"에 이은 두 번째 육아 에세이~

이번에는 동요 작곡을 넣은 세상에 하나뿐인 나만의 육아 에세이로 작업하고 싶었어.

왜 과거의 육아만 쓰냐고?

현재의 나는 아직 그럴 여유가 없거든.

또 이런 기회가 온다면, 그때는 너희들과 함께 써가는 육아서를 써 보고 싶어. 사춘기를 겪을 너희와 갱년기를 겪을 나의 치열한 육아 과정이 담기겠지? 힘들었던 코로나바이러스도 함께 이겨냈으니 우린 앞으로 뭐든 못 할 것이 없을 거야.

차례

나는 너의 엄마

너를 만나 비로소 나는 엄마가 되었어.

네가 우리에게 오지 않았다면 어땠을까?

다소 늦은 나이에 결혼하고 허니문 베이비를 기대했는데 너는 쉽게 오지는 않았지.

그래도 나의 노력이 너에게 닿았을까?

너의 심장 소리를 듣고 초음파 사진을 보면서 열 달 가까이 입덧으로 힘들었지만 내가 힘듦보다 왕복 3시간 반을 운전해서 다니는 출퇴근 길이 너에게 무리가 되지는 않을지 걱정이 많았어.

세종에서 안산까지 편도 150km 왕복 300km

엄마 배 속에 있을 때부터 차를 많이 타서 그런가? 카시트에 잘 앉아줘서 고마워.

그렇게 비로소 나는 초보 엄마가 되었어.

첫째를 낳고 혼자는 외로울 것 같아서 둘째까지 낳았는데도 여전히 초보 엄마네.

초보 딱지는 언제 떼일 수 있을까?

여전히 모르는 게 많고 실수투성이지만 그래서 부족한 면이 많은 엄마지만 그래도 나는 너희들의 엄마가 되어서 너무 행복해.

나에게 와준 나의 소중한 두 천사. 사랑한다.

나는 너의 엄마

김태정 작사, 작곡

작곡 NOTE

이 곡은 3박자의 다장조 곡으로, 왈츠풍으로 작곡했어요. 왈츠는 두 사람이 추는 춤으로 인생의 행복한 순간들을 낭만적인 감정의 세계로 승화하는 매력을 지녔다고 해요.

아이와 만나 비로소 엄마가 되는 행복한 순간, 그리고 아이와 함께 발을 맞추며 성장하는 과정이 왈츠를 추는 것처럼 여겨져서 다양한 의미를 두고 작곡했어요.

세상의 모든 엄마와 아이들이 행복하게 지내길 소망해요.

꽁꽁 싸매자

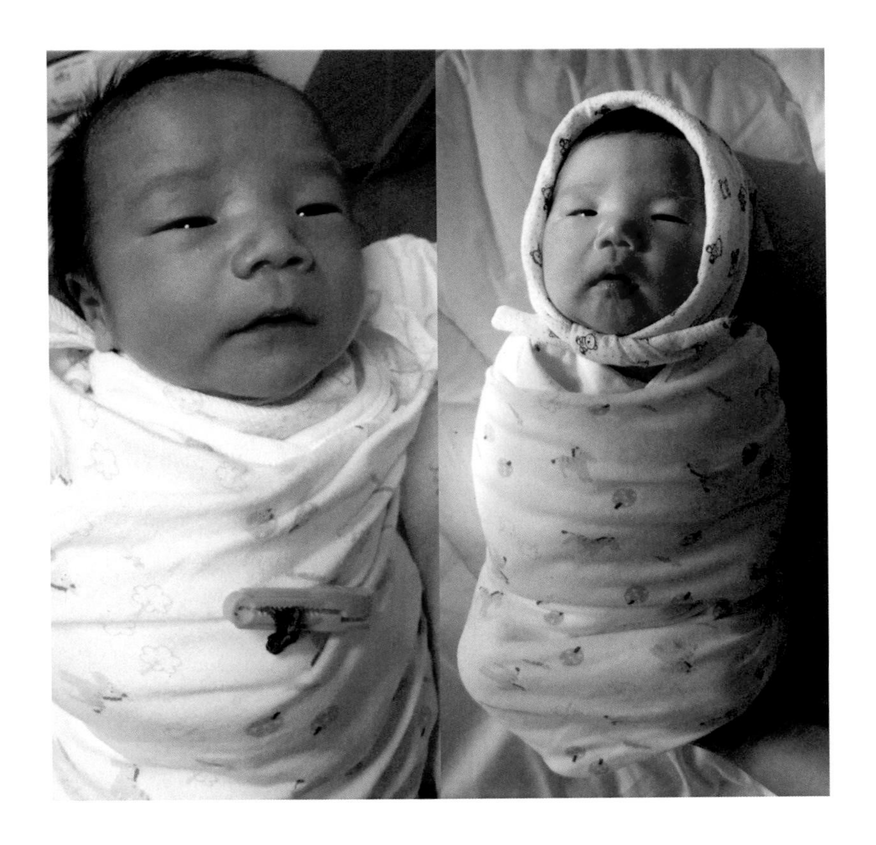

신생아는 꽁꽁 싸매야 안정감을 느낀다고 하는데 너무 작은 네가 혹시나 아프진 않을지 겁나서 꽁꽁 싸매질 못했어.

첫 모유 수유할 때도 잘 물지 못하는 너와 한참을 실랑이했고 기저귀를 갈 때도 남들은 쉽게 하는데 다리를 어느 정도 높이까지 들어야 하는지 몰라서 쩔쩔맸지.

조리원 대신 집에서 아이를 봐주시는 입주 도우미 이모와 함께했는데 주말에 이모님이 집에 가시면 아빠와 엄마는 정신적 공황이었어.

이모님은 속싸개도 꽁꽁 싸매서 안정감 있게 잘 자게 하셨는데 아무리 싸매도 속싸개는 금방 풀려버리고 너는 계속 뒤척이고 식은땀만 줄줄 흘렸지.

밤엔 졸다가도 네가 엥~ 하고 울면 일어나서 뭐가 불편한지를 살피느라 날이 새는지도 몰랐어.

목욕하는 걸 이모님께 배웠는데도 막상 하려니 겁이 나서 얼마나 덜덜 떨었던지 이모님이 오시고야 기절하면서 잤던 기억이 난다. 둘째 때는 잘할 거라 믿었는데 둘째도 역시나 꽁꽁 싸매지는 못했네. 손자 때는 잘할 수 있을까? 꽁꽁 싸매기. 익숙해질 만도 한데 속싸개로 꽁꽁은 자신이 없는 걸 보면 아직도 초보 엄마인가 보다.

꽁꽁 싸매자

김태정 작사, 작곡

♩= 116

Eb F Gm F Eb9 Bb/D Cm F Bb

꽁 꽁 꽁 꽁 - 꽁 꽁 싸 매 자 꽁 꽁 꽁 꽁 - 꽁 꽁 싸 매 자

5

Eb Bb/D Cm Bb Eb Bb/D Cm F Bb

풀 어 헤 칠 라 - 꽁 꽁 사 매 자 풀 어 해 칠 라 - 꽁 꽁 싸 매 자

작곡 NOTE

꽁꽁 싸매고자 하는 마음을 담아 곡을 작곡했어요. 4박자 곡으로 부점 리듬이 반복되고 B b 장조로 약간은 힘차고 엄마의 의지를 표현했어요. 5마디와 7마디의 셋잇단음표 “해칠라”는 조심성을 나타낸 부분이에요.

B b 장조의 곡이지만 첫 코드는 E b 으로 시작하는 특징을 보여주고 있어요.

꼬물꼬물 손과 발

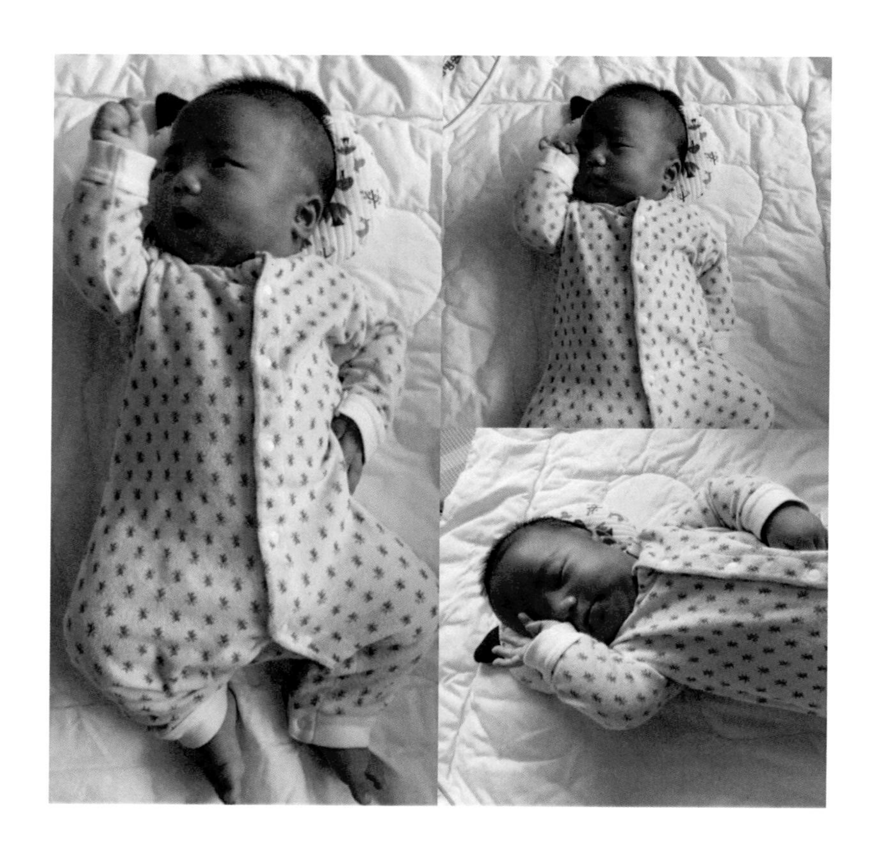

꼬물꼬물~ 엄마 배 속에 있을 때부터 손을 빨고 발로 엄마를 쿵쿵 차던 너희들의 작은 손과 발이 얼마나 클지 궁금해.

아빠 닮아 키가 컸으면 좋겠고

엄마 닮아 손재주가 있으면 좋겠어.

꼬물꼬물 손으로 사람들을 도와주렴.

꼬물꼬물 발로 넓은 세상을 다니렴.

엄마, 아빠가 해보지 못한 것들을

꼬물꼬물 손과 발로 멋지게 살아가길 바라.

작은 손으로 책을 들고는 마치 읽는 것처럼 열심히 보던 모습이 너무 귀여워서 한참을 봤었지. 그러면서 혼자서 뭐라고 뭐라고 소리를 내며 책을 읽는 흉내 내는 모습이 아직도 엄마는 생각이나. 요즘은 책 읽으라고 잔소리해야만 읽지만, 아기였을 때는 책으로 놀이도 많이 했었지.

꼬물꼬물 작은 발로 첫걸음을 걷던 날~

한걸음은 어려워했지만 몇 걸음 걷더니 자연스럽게 잘 걷는 걸 보면서 신기했어.

걸음마를 하기까지 많이도 넘어졌지만 결국은 잘 걷게 되는 것처럼 시련이 있어도 너희는 결국 그 시련을 잘 이겨낼 거라고 얘기해주고 싶어. 그리고 시련을 못 이겨내면 좀 어때. 과정이 중요한 거라는 걸 너희도 알게 되겠지?

꼬물꼬물 손과 발

김태정 작사, 작곡

굿거리 장단

작곡 NOTE

6/8박자 곡으로 마디 3과 5, 6은 동일한 리듬 형태로 표현했어요. 꼬물꼬물 손과 발이 쑥! 쑥! 자라길 바라는 마음으로 쑥! 쑥! 부분은 도약진행을 했어요. 순차진행으로는 꼬물꼬물을 표현했어요. 다장조로 마디 1~ 3은 순차 하행진행으로 베이스가 되는 음은 C – B – A – G – F – E – D 로 하행진행을 나타내요. 노래할 때 마디 4의 # 음을 정확하게 부를 수 있도록 주의하여 불러봐요.

엉금엉금

엉금엉금 기어가는 귀여운 뒤태~

호기심이 많은 너는 어디론가 엉금엉금 기어가네. 잡고 일어서고 싶어서 버텨 보기도 하지만 다시 주저앉아 엉금엉금 기어가네.

태어나서 누워만 있던 아기가 뒤집기에 성공하면 하루에도 몇 번씩 엎치락뒤치락하곤 했지. 배를 밀면서 앞으로 나가는 배밀이를 하면서 다리에 힘이 생기면 엉금엉금 기어서 다니는 성장 과정을 통해 아기들은 점점 걸을 준비를 하는 것 같아.

처음에는 뒤로 넘어져 다칠까 봐 온갖 보호장비들을 살지 고민했었지. 그렇게 고민하는 사이 너희들은 무언가를 잡고 일어서기까지 성장을 했어. 엉금엉금했을 때 기뻤지만 잡고 일어서려고 할 때는 집안 물건이 와장창!!! 깨지는 일도 많았지. 소파 위로 올라가기는 하지만 내려오는 것은 아직 못해서 보는 내내 가슴 졸이지만 불안하다는 이유로 너의 도전을 엄마가 해주기보다는 할 수 있다고 믿고 기다려주었지.

하루 종일 엉금엉금 기어가는 너를 엄마는 뒤에서 쫓아가기에 바쁘다.

엉금 엉금

밝고 신나게

김태정 작사, 작곡

작곡 NOTE

E♭ 4/4 박자로 엉금엉금 기어가는 모습을 부점 리듬을 통해 2마디의 리듬 패턴을 반복함으로 통일감을 가지도록 했어요. 4마디의 A 음에 주의하여 불러봐요. 엄마는 너를 응원해 ~~~ 우드 블록으로 부점 리듬을 치면서 부르면 더 신나게 부를 수 있어요.

냠냠 짭짭

이유식을 하면서 다양한 음식을 맛보는 너~

냠냠 짭짭 맛나지?

과일도 먹어보고 채소도 먹어보고 맛있게 먹고 건강하게 자라주렴. 오늘은 빨간 과일 내일은 주황 과일~ 결혼하기 전에는 음식을 할 일이 없어서 요리를 그다지 잘하지는 못하는데 아빠가 맛있다고 칭찬해줘서 용기를 많이 얻었어.

너희가 태어나고부터는 이유식이라는 음식도 만들어보고 언제부터 간을 해서 먹여야 하는지, 뭐는 먹이면 안 되고 뭐는 되는지 엄마는 공부해야 했지. 엄마가 된다는 건 결정해야 하고 그것에 대한 책임도 져야 한다는 걸 시기마다 깨닫는 거 같아.

태어나서부터 예방접종도 시기에 맞게 놓치지 않고 접종해야 하고 아프면 어느 정도 열이 났을 때 병원을 가야 하는지, 어느 병원이 더 잘하는지 검색도 해보면서 조금씩 배워가는 거 같아. 육아 책에 적혀있는 대로 하면 되는 줄 알았는데 사람마다 다 다르더라. 너희도 좋아하는 과일이 서로 다르고 좋아하는 음식도 다른 걸 보면서 제철 음식 먹으면서 따뜻한 마음을 가진 사람으로 자라주길 엄마는 기도할게.

빨간 과일

김태정 작사, 작곡

작곡 NOTE

빨간 과일은 뭐가 있는지 아이와 얘길 통해 색깔과 과일을 배합해 보세요. 주활 과일, 노란색 과일, 초록 과일, 보라색 과일 등등

마디 1~ 4마디는 엄마가 불러보면서 질문하고 5~8마디는 아이와 함께 찾은 과일로 노래를 불러보면 더 기억에 남겠죠?

6마디에는 셋잇단음표를 넣었어요. 3글자 과일은 뭐가 있을지 생각해 보세요~

바나나, 오렌지, 청포도, 등 3글자 과일 또는 메-론, 블루베리와 같은 2글자나 4글자도 가능하니 아이들과 같이 생각해 보면 좋을 거 같아요.

비 오는 날

엄마가 어릴 적에는 지금보다는 환경이 덜 나빠서 비를 맞고 놀았던 기억이 있어.

그때는 산성비, 미세먼지 그런 게 많지 않았었는데 아이를 낳고 보니 안 좋다는 건 피해 가고 싶어지더라. 미세먼지 지수가 높은 날은 바깥 놀이를 안 하게 되고 자외선 지수가 높은 날은 선크림을 바르고 바깥 놀이를 시켜달라고 어린이집 선생님께 부탁을 드렸지.

환경문제에 관심이 많은 건 아니지만 그래도 나쁜 건 피해 가도록 해주고 싶은 생각에 분리수거도 지키려 노력하고 있지. 엄마의 이런 마음을 너희도 알면 좋겠다. 초등학교 고학년만 되어도 화장하는 요즘 아이들을 보면서 화장 안 한 얼굴이 더 이쁘다고 아무리 얘길 해도 그 나이에는 귀에 들어오지 않는 걸 알아. 텔레비전에 나오는 연예인들처럼 화장해야 이뻐 보이는 줄 아니깐.

근데 말이야, 일찍부터 화장을 하면 피부에는 더 안 좋다는 걸 어떻게 하면 알게 할 수 있을까?

사춘기가 초등학교 5학년부터 온다고 하니 이제 다른 집 아이 문제가 아닌 거 같아.

어디까지는 허용하고 어디서부터는 안 된다고 해야 덜 싸우려나? 시간이 지나고 조금 더 크면 엄마가 뭘 걱정하는지 알 텐데.

비 오는 날 우산 없이 너희랑 산성비 걱정 없이 비를 맞는 날이 왔으면 좋겠다.

톡!톡!

김태정 작사, 작곡

작곡 NOTE

빗방울이 톡! 톡! 노랑 우산 위로 또르르 떨어지는 모습을 노래로 만들어봤어요. 하늘에서 내리는 빗방울은 아래로 도약하는 선율로 우산에 맞아 튀어 오르는 빗방울은 위로 도약하는 선율로 표현해 봤어요.

비 오는 날 노랑 우산 쓰고 첨벙첨벙 뛰어다니면서 부르면 신나겠죠?

엄마의 걱정 인형

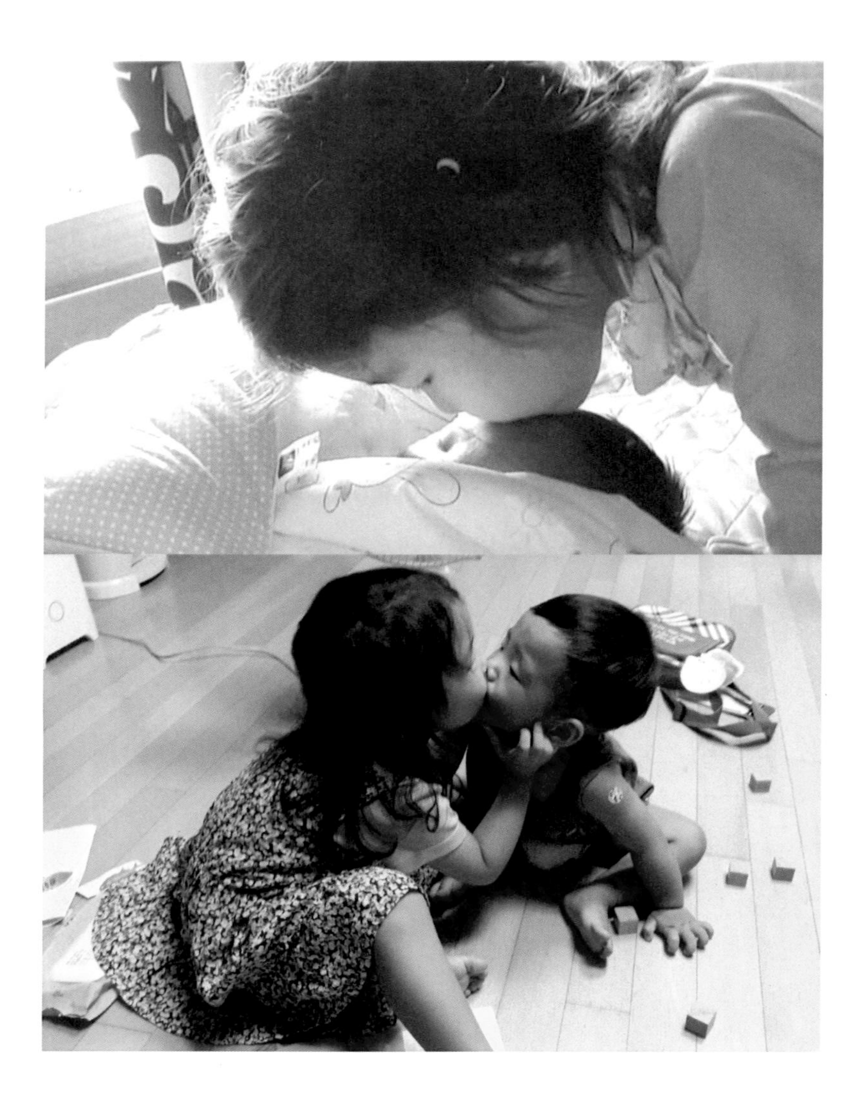

엄마는 결혼 전 때부터 내가 아이를 낳으면 내 손으로 키우겠다는 생각이 있었어. 맞벌이로 다른 사람 도움 없이 육아한다는 게 쉬운 건 아니지만 엄마, 아빠가 된다는 건 그런 것도 감내해야 하는 거로 생각했어.

다행히도 악단에서 많은 배려를 해주셔서 너희가 전염병으로 어린이집을 못 갈 때도 회사에 데리고 다닐 수 있었지.

첫째 때는 한 명이니 그나마 눈치가 덜 보였는데 둘째가 태어나고 복직할 때가 되니 걱정거리가 너무 많더라. 일하면서 아이 둘을 잘 키울 수 있을까? 내 욕심으로 너희들이 덜 행복하게 자라면 어쩌지? 이런 걱정들은 아빠와 대화로 많이 해결했어.

아빠는 바쁜 와중에도 육아를 함께하는 동지였지. 엄마가 복직할 수 있었던 건 아빠를 믿어서였던 것 같아. 복직하고 며칠 뒤에 어린이집에서 둘째가 열이 난다고 연락이 와서 조퇴하고 어린이집으로 가는 퇴근길이 그날따라 너무 멀게만 느껴졌어. 앞으로도 이런 일이 많을 텐데 외할머니께 부탁을 드려야 할까? 아니면 회사를 그만둬야 할까? 다행히 심하게 아픈 건 아니어서 병원 진료 후 괜찮아져서 다음날 다시 등원할 수 있었어. 걱정이 많은 엄마와 긍정적인 아빠가 만나서 엄마는 너무 좋았어. 때론 아빠에게 "당신의 걱정까지 내가 하느라 늙는다"

라고 장난 섞인 말을 하면 아빠는 늘 "걱정 인형은 내게 맡겨. 나는 자면서 잊을 테니."라고 얘길 하지. 아빠의 긍정적인 면을 너희가 닮으면 좋겠다.

할 수 있어

김태정 작사, 작곡

작곡 NOTE

용기를 주고 싶은 부분은 당김음을 사용해서 응원하고 싶었어요.

"대~ 한 민국 짝짝 짝 짝 짝" 에 나오는 박수 부분이 당김음인데 힘을 실어주는 리듬인 거 같아서 더 멀리 뛰고 조금 더 달려보라고 응원해 주고 싶었어요.

너를 응원하고 항상 격려하는 엄마가 있으니, 뭐든 자신 있고 당당하게 해보라는 그런 의미로 작곡을 해봤어요.

모두 모두 힘내자!

잘 때가 제일 예쁜

친구들이 하나둘 먼저 시집을 가서 아이가 태어나면 놀러 가서 자는 아이를 건드려서 깨우곤 했어. 자면 깨우고 싶은 철없는 처녀였었지. 엄마가 되고 보니 깨어있을 때도 예쁘고 사랑스럽지만 잘 때가 제일 예쁜 건 현실이더라. 너희가 잠을 자야 엄마는 집안일을 비로소 할 수 있으니깐 말이야.

집안일은 숙제 같아. 하루 정도 안 하면 그다지 티가 많이 나진 않는데 이틀 정도 지나면 찜찜해지고 그 시간을 더 지나면 감당이 안 되는 그런 숙제 말이야. 너희는 돌아서면 어지럽히고 씻겨놓으면 금세 뭘 묻히고 와서는 울고 칭얼거리니 집안일은 고사하고 화장실 가는 것도 힘들었어. 아빠가 퇴근해야 바통 터치하고 저녁 준비를 할 수 있었지. 저녁 먹고 책 몇 권 읽어주고 나면 어느새 자야 할 시간이 다가오고 씻고 누우면 너희는 다시 힘이여 솟아라! 잠이 안 온다고 돌아다니고 계속 말 시키고 목이 마른다며 물을 찾고 화장실도 다녀온다고 일어나는 일의 연속이지. 너희 재우다 엄마가 먼저 자는 날도 많았지만, 엄마도 오롯이 혼자만의 시간이 필요해서 겨우겨우 일어나서 거실로 나오면 거실은 초토화된 전쟁터 같았어. 치우기 싫지만, 밀린 숙제는 싫어서 대충 정리하면 시간은 왜 그리 빨리 지나가는 걸까? 앉아서 텔레비전이라도 보려 하면 내일 출근할 때 졸다 사고 날까 봐 30분 정도 보고는 혼자의 시간도 끝~ 우리 집은 아빠가 제일 먼저 잠든 날이 많은 건 비밀!

자장 자장

김태정 작사, 작곡

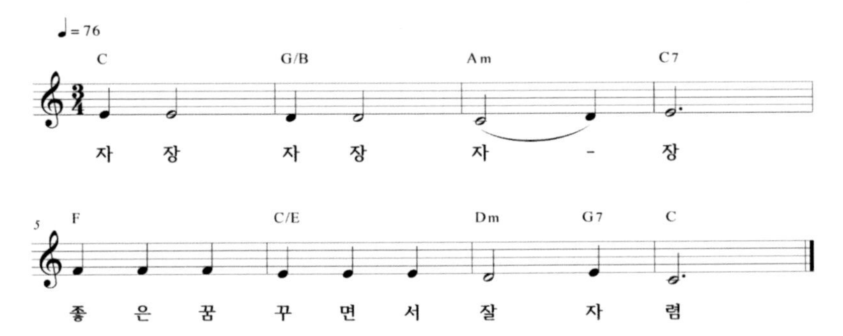

작곡 NOTE

어릴 적 엄마가 불러주던 자장가

좋은 꿈 꾸면서 잠이 들길 바라는 엄마의 마음을 담아 도, 레, 미, 파 네 음만 담아 자장가를 작곡했어요. 가사 없이 허밍으로만 불러도 좋고 느리게 불러도 좋고 5~ 8마디는 "어여쁜 ○ ○야 잘 자렴" 으로 가사를 바꿔도 좋을 거 같아요.

너의 꿈은 뭐니?

매일매일 커가는 너를 바라보면서

엄마는 궁금해~ 너의 꿈은 뭘까?

엄마, 아빠가 살아온 세상보다 더 다양한 직업이 생길 너의 시대에서 너는 어떤 일을 하게 될까? 그 일을 통해서 행복할까?

엄마도 어릴 적 꿈이 있었어. 멋진 오케스트라 지휘자가 되고 싶었단다. 아직도 엄마는 꿈을 향해 달려가고 있어. 더디더라도 언젠가는 이루고 싶은 나의 꿈.

너도 너의 꿈을 찾길 바라. 꿈을 찾는 과정도 소중하고 꿈이 중간에 바뀌어도 괜찮아.

정해진 답이 있는 건 아니니깐 천천히 네가 하고 싶은 거, 네가 좋아하는 거, 네가 행복한 그 무언가를 찾아가길 바라.

너의 꿈

김태정 작사, 작곡

작곡 NOTE

너의 꿈, 나의 꿈, 우리 모두의 꿈이 바라는 대로 원하는 대로 모두 이뤄지길 희망하며 쓴 곡이에요. 아이를 키우다 보면 엄마의 욕심으로 인해 아이가 되고 싶은 꿈보다는 부모가 바라는 대로 커가길 원할 때가 오는 것 같아요. 근데 그 길이 행복하지 않다면 그건 누굴 위한 꿈일까요?

커가면서 계속 바뀌는 꿈들일지라도 네가 원하는 꿈을 찾아가는 긴 여정을 즐기며 행복해지길 엄마는 응원할게.

세상에 하나뿐인 남매

결혼하기 전부터 아빠랑 아이는 무조건 두 명 이상은 낳자고 계획했었어. 아이의 성향에 따라 다르겠지만 혼자보다는 최소 2명 이상을 낳아서 서로 의지하며 살게 해주고 싶었어. 이모랑 엄마는 터울이 7살이라 언니랑 같이 놀았던 기억은 많지 않았는데 성인이 되고 결혼하고 보니 언니가 있는 게 너무 좋더라. 힘든 일이 있을 때는 같이 상의도 하고 나보다 먼저 육아를 해봤으니 고민 상담도 하니 좋더라. 부모님께 일이 생길 때도 혼자였다면 겁이 많이 날 텐데 둘이 있으니 서로 도울 수 있어서 엄마는 이모가 있는 게 너무 좋아. 그래서 너희도 혼자가 아니라 둘이 사이좋게 지냈으면 좋겠어. 아직은 서로 싸울 때가 있지만 커가면서 세상에 하나뿐인 남매라는 걸 잊지 말고 서로를 위하며 보듬어 주는 사이가 되면 좋을 거 같아. 그러기 위해서는 엄마, 아빠도 노력을 많이 해야겠지. 엄마는 셋째도 낳고 싶었는데, 현실적으로 힘들 거 같아서 좀 아쉬움이 있어. 그래도 너희 둘이 있어서 감사하고 행복해. 서로를 사랑으로 아껴주고 힘든 일이 있을 때 말없이 어깨를 내줄 수 있는 그런 마음 따뜻한 어른으로 성장해 주길 바랄게. 사랑한다. 나의 두 천사 *^^*

행복한 세상

김태정 작사, 작곡

작곡 NOTE

2/4 박자에 셋잇단음표와 부점음표를 주로 사용하여 작곡한 곡이에요. 우리가 살아갈 그리고 아이들이 살아갈 세상은 서로의 다름을 인정하며 행복하게 사는 그런 세상이길 바라는 마음을 담아 가사를 적었어요. 남매끼리도 의견이 다르고 생각이 다르니 서로의 다름을 인정하고 온전히 받아들이면서 그 안에서 행복을 찾길 희망해요.

에필로그

지금은 11살 8살로 엄마보다는 친구들이 좋은 나이가 되었어요. 동요보다는 최신 유행하는 노래를 좋아하고 무작위 플레이 댄스를 추며 아이돌을 꿈꾸고 있어요. 시간이 흐른 뒤 지금의 아이들 모습을 추억하고 또 다른 에세이를 쓰는 날이 오겠죠? T 성향이 많은 엄마라 공감이 부족하지만, 늘 너희를 사랑하는 건 알지? 너희와의 소중한 추억을 부족한 실력이지만 동요로 만들고 싶었어. 아무도 불러주지 않아도 이 책을 보면서 기억해 줘. 엄마가 너희를 많이 사랑해. 하느님이 보내주신 나의 두 천사 하은, 동원아~ 많이 사랑한다.

나는 너의 엄마

꽁꽁 싸매자

꼬물 꼬물 손과 발

엉금 엉금

빨간 과일

톡톡

할 수 있어

자장 자장

너의 꿈

행복한 세상

작곡가 엄마, 음치 아이들

발 행 | 2024년 07월 30일
저자/작사/작곡 | 김태정
표진사진 | 오은정
디자인 | 오은정
인권표현검수 | 이지민
바른우리말검수 | 이지민
후원 | 제주특별자치도, 제주문화예술재단
주관 | 서귀포 오아시스
미디어에디터 | 최인서
작품편집, 에이전트 | 박산솔, 이정숙, 이선경
펴낸이 | 한건희
펴낸곳 | 주식회사 부크크
출판사등록 | 2014.07.15.(제2014-16호)
주 소 | 서울 금천구 가산디지털1로 119, SK트윈타워 A동 305호
전 화 | 1670 - 8316
이메일 | info@bookk.co.kr

ISBN | 979-11-410-9828-5

www.bookk.co.kr

2024 엄마의 활주로 '함께육아에세이'의 취지에 맞게 작가의 감정 표현과
아이의 언어 표현을 지키는 방향으로 교정 교열 하였습니다.

본 책은 강원교육모두체, 학교안심(확장)바른돋움체, 학교안심 바른바탕체, 상상토끼꽃길체가 사용되었습니다.

본 책은 제주특별자치도와 제주문화예술재단의 후원을 받아 제작되었습니다.

Jeju JFAC 제주문화예술재단

값 11,100원
03810
9 791141 098285
ISBN 979-11-410-9828-5

오감 마법! 창의력 폭발!

두뇌 발달 감각 놀이

작은 손 큰 상상

-만 4세까지-

글 ♥ 이은미

BOOKK